CARL FRIEDRICH VON SIEMENS STIFTUNG · THEMEN XL

Walter Burkert · Anthropologie des religiösen Opfers

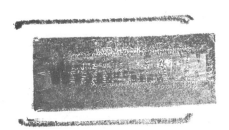

WALTER BURKERT

Anthropologie
des religiösen Opfers

Die Sakralisierung
der Gewalt

Zweite Auflage

Vortrag, gehalten an dem Mentorenabend
der Carl Friedrich von Siemens Stiftung
in München-Nymphenburg am 21. November 1983
Mentor des Abends war Professor Dr. phil. CHRISTIAN MEIER
Ordinarius für Alte Geschichte,
Ludwig-Maximilians-Universität München

Inhalt

5

CHRISTIAN MEIER

Vorwort

Die klassische Altertumswissenschaft hat eine große, stolze Tradition. Bedeutende, klassische Texte stehen nicht ohne Grund im Zentrum ihres Interesses. Ihre methodischen Ideale sind streng und vorbildlich. Sie hat es sich lange leisten können, allgemeine Aufmerksamkeit zu beanspruchen. Und sie tut es noch heute. In der Konzentration auf ihren Gegenstand wahrt sie eine überkommene Autarkie.

Ihr Thema scheint das nahezulegen. Offenkundig haben zumal die Griechen eine außerhalb jeder Regel stehende Kultur gebildet. Vielleicht waren sie von vornherein ein ganz außergewöhnliches Volk. Das ist unklar. Jedenfalls haben sie sich dann auf sehr besondere Weise, ohne jede Parallele entwickelt. Sie stellten eine welthistorisch ganz neue Frage: Ob Herrschaft überhaupt bei Einem, ja ob sie bei Wenigen und nicht bei Allen liegen sollte. Sie machten das Zentrum der Ordnung zum Gegenstand menschlicher Verfügung. Sie gründeten die Ordnung im ganzen – und nicht nur ihre Ausgestaltung im einzelnen – auf Vernunft. Dazu mußten sie sehen, Verhältnisse zu finden, die nicht von einer zentralen Instanz abhingen, sondern sich selber trugen (in denen die Beteiligten das Ganze des Gemeinwesens mit- und untereinander ausmachen konnten). Sie mußten nach Gesetzmäßigkeiten suchen und das heißt: Sie hatten ganz

7

anders als alle anderen nach Gründen und Zusammenhängen zu forschen. Das eröffnete ihnen zugleich in Philosophie, Kunst, Literatur, im ganzen Leben völlig neue Alternativen und damit Freiheiten, Spannungen, Möglichkeiten von außerordentlicher Tiefe. In einem begrenzten Bereich, dank günstiger Trennlinien vermochten sie Herrschaft über ihre Dinge zu erringen, so daß ihr Leben und ihre Werke in mancher Hinsicht wenig angestrengt, ja anmutig erscheinen. Jacob Burckhardt schreibt: »Was sie taten und litten, das taten und litten sie frei und anders als alle früheren Völker. Sie erscheinen original und spontan und bewußt da, wo bei allen andern ein mehr oder weniger dumpfes Müssen herrscht«.*

All das scheint heute noch mehr oder weniger unmittelbar und erfreulich zu uns zu sprechen. Wir sind leicht versucht, Verwandtes darin zu entdecken. Wir neigen dazu, in den Zeugnissen griechischer Rationalität – und das sind im Grunde alle ihre großen Kunstwerke, archaische wie klassische, jedes auf seine Art – die gleichsam uns zugewandte Seite für das Ganze zu nehmen.

Es fragt sich aber, ob wir den Griechen – und dem Verständnis der Weltgeschichte – damit nicht Einiges schuldig bleiben; zu wenig gewahr werden, worin ihr Besonderes, ihre Leistung liegt; all das vernachlässigen, was vor, neben und hinter ihrer glanzvollen Hinterlassenschaft wirkte: was sie überwanden, worauf die höheren Schichten ihres Lebens auflagen, was sie beiseite drängten. Waren die Griechen uns vielleicht in Wahrheit eher fremd? Kommen sie uns vielleicht näher, je weiter wir selbst uns von manchen Illusionen unserer Gesellschaft entfernen und je mehr der Prozeß der

8

Abtragung des Überkommenen in Schichten vordringt, die der griechischen, der politischen Revolution der Weltgeschichte zu verdanken sind?

Jedenfalls wird man die Eigenart der Griechen kaum ergründen, begreifen, darstellen können, ohne die Isolierung ihrer Betrachtung zu durchbrechen. Erst wenn man sie nicht mehr wie selbstverständlich aus den anderen Kulturen heraushebt, kann heute deutlich werden, wodurch sie sich vor diesen auszeichnen. Erst explizites, umfassendes Vergleichen der Griechen mit Angehörigen anderer Kulturen kann zeigen, was sie von anderen unterscheidet, was sie mit anderen gemein haben, und kann damit zu einem angemessenen Bild dessen führen, was sie waren. Selbst der gern gestiftete Zusammenhang zwischen der Entstehung der Philosophie und der Vorgeschichte der Demokratie erweist sich als viel zu grob, sobald man die chinesische Philosophie, welche in keiner Weise auf die Demokratie hinführte, studiert.

Interdisziplinäre Perspektiven heißt die Reihe der Carl Friedrich von Siemens Stiftung, in der der hier abgedruckte Vortrag gehalten wurde. Sie läßt Forscher zu Wort kommen, die mehrere Disziplinen beherrschen und in ihrer Arbeit vereinen. Walter Burkert hat darin einen legitimen Platz.

Seit längerem ist er vielfältig und folgenreich bemüht, Gegenstände seiner Wissenschaft mit Hilfe anderer Wissenschaften zu beleuchten oder allererst zu verstehen. Die berühmte, vieldiskutierte Geschichte etwa, wonach Odysseus durch 12 Äxte mit einem Pfeilschuß hindurchgeschossen haben soll, wird verständlich als Deformation einer bronzezeitlichen Bild- und Erzähltradition. Zu den ägyptischen

9

Königen gehörte es nämlich, daß sie durch Kupferziegel zu schießen vermochten. Diese Ziegel hatten die Form von konkaven Platten. Sie ähnelten damit der Doppelaxt. Sie glichen zudem minoischen Gewichten, und wenn Pelekys, das griechische Wort für Axt, zugleich ein Gewicht bezeichnete, so war es offenbar eines von dieser Form. Über einige Wandlungen wurde daraus die Mehrzahl der eisernen Äxte, die der sagenhafte Held zu durchschießen vermochte. Burkert schließt: »Daß hinter dem Bogen des Odysseus ein ägyptischer Pharao aufgetaucht ist, könnte freilich nur denjenigen beunruhigen, der die Klassizität der Griechen um den Preis der historischen Isolierung erkaufen möchte.« Noch in seiner jüngsten Veröffentlichung konnte er nachweisen, daß die eigenartigen Wundermänner, die seit dem 7. Jahrhundert in Griechenland auftreten und Einzelne und ganze Städte entsühnen, aus dem Osten kamen. Aber das sind nur wenige Beispiele für eine Forschungsrichtung, die Burkert allgemein aufs Fruchtbarste einhält.

Seine zentrale Frage gilt dem »religiösen Verhalten« des Menschen. Sie setzt an bei den Griechen, führt aber sogleich in historisch sehr viel ältere Schichten, genau gesagt: ins Paläolithikum. Denn sehr vieles am Tieropfer ist nach Burkert nur aus der Jagd zu verstehen, die er an den Anfang menschlicher Gesellschaft setzt. Nehmen–Schlachten–Verteilen, in diesem (an Carl Schmitts Nehmen–Teilen–Weiden anklingenden) Dreischritt vollzieht sich über das Opfer hin sowohl der Gang des Fleisches wie das Leben und die Ordnung der Gruppe. Der Opferherr, der über die Verteilung verfügt, ist zugleich die oberste Autorität.

Übrigens beobachtet Burkert einen engen Zusammenhang zwischen Opfertypen und Gesellschaftsstruktur – wenn mir auch der Weg vom griechischen Opfertyp zur Demokratie etwas zu gerade zu sein scheint. Denn die griechische Weise des Opferns ist ja, wie er zeigt, der westsemitischen eng verwandt, ohne daß es dort zu einer Demokratie gekommen wäre.

Hinter den prähistorischen und ethnologischen Kenntnissen, Fragestellungen und Kategorien stehen für Burkert diejenigen der Verhaltenswissenschaft, zumal von Konrad Lorenz, und der Tiefenpsychologie Freuds. Es geht, wie er sagt, nicht um Primitives, sondern um Fundamentales. Seine Perspektive ist vornehmlich anthropologisch. Dabei bleibt natürlich die Frage drängend, was als Grundausstattung des Menschen zu gelten habe und wie sie von den lange durchhaltenden, irgendwie aber doch wechselnden und schließlich rapide sich wandelnden Formen ihrer Äußerung zu unterscheiden sei.

Die Fülle der Probleme, die sich Burkert stellen, kann hier nicht umrissen werden. Der Vortrag gibt über eine Reihe derer, die ihm wohl die wichtigsten sind, Auskunft. Es sind die des Opfers und der Gewalt; wie es kommt, daß das Opfer zum Heiligen schlechthin werden konnte, daß Töten und Blutvergießen eine so zentrale Rolle für Religion und Gesellschaft gewannen. Burkert gibt zugleich Auskunft über die für ihn besonders wichtigen Autoren und setzt sich mit R. Girard auseinander, dessen Buch La Violence et le Sacré *gleichzeitig mit seinem* Homo Necans *erschien.*

Ebensowenig kann hier darauf eingegangen werden, wie vielfältig die Aufschlüsse sind, die Burkert dank seinem Ansatz für griechische Riten und Mythen, ja für die griechische Religiosität im ganzen in seiner großen Synthese Griechische Religion der archaischen und klassischen Epoche *gewinnt. Sie bieten ein besonders eindrucksvolles Beispiel dafür, wie beredt anscheinend spröde Quellen werden können, wenn man sie in voller Kenntnis des Sachbereichs interpretiert, in den die Phänomene gehören, von denen sie berichten; in Kenntnis auch der möglichen Zusammenhänge, die diese miteinander ausgemacht haben und in denen sie sich gegenseitig erhellen. Freilich wird ebenso deutlich, daß solche Kenntnisse zumeist erst erworben werden können, wenn man über das enge Fach, in dem wir uns normalerweise bewegen, hinausblickt. Die Mosaiksteine, die wir besitzen, sind oft – und gerade auf dem Feld der Religion – zu wenige, als daß sich aus ihnen schon der Rahmen des Ganzen, in dem sie ihren Sinn haben, ergeben könnte. Daß manches von dem, womit Burkert arbeitet, weniger Kenntnis als Theorie ist, braucht nicht eigens hervorgehoben zu werden. Er betont es selber.*

Γνῶϑι σαυτόν, *erkenne Dich selbst, begreife, daß Du ein Mensch bist, hat der Delphische Gott gefordert. Burkert zitiert es am Ende der Vorbemerkung zum* Homo Necans. *Er tut es fast entschuldigend, nachdem er resümiert hat, es seien* »nicht die erbaulichen Aspekte der Religion und des Menschseins, die in dieser Studie hervortreten, nicht die idealen und nicht die sympathischen Züge des Griechentums«. *In der Regel setzt man Apollons Gebot in die Vorgeschichte der auf Vernunft gegründeten Ordnung der Griechen.* »Sterbliches zu sinnen« *heißt, sich beschränken auf*

12

das, was im Bereich des Handelns liegt, heißt, maßvoll-angemessene Abhilfe für die Schwierigkeiten des Einzelnen und der Polis suchen. Das lief letzten Endes auf Erkenntnis, auf Erhellung, auf Institutionen, auf Bewältigung eines umgrenzten Lebenskreises in gesetzter Ordnung hinaus. Aber wenn die Griechen, und nicht zuletzt Delphi, in dem sich ihre Weisheit für einige Zeit konzentrierte, es auf Erkenntnis anlegten: Sollte ihnen dann nicht, wie Burkert wohl meint, zugleich all das bewußt gewesen sein, was sie auf rituelle Weise, im Rhythmus von Todesbegegnung und Lebensbejahung, von Schock-Erleben und Ordnung, beim Opfer also, stets neu bändigten? Erweisen sich dann nicht die weniger erbaulichen Aspekte der Religion als notwendiges Komplement der rationalen Ordnung, als letzte Voraussetzungen für die Bannung der Gewalt, für die Solidarität? Unter diesem Gesichtspunkt erscheint die Tragödie, wie Burkert andeutet, in einem ganz neuen Licht, insofern sie die Rationalisierung (und Politisierung) des Mythos mit neuen Deutungen des Opfers kompensiert. Vielleicht setzt die Beweglichkeit des Mythos das Festhalten am Ritual geradezu voraus? Es wäre auch zu fragen, wieweit die Geschichte der Polis die Geschichte auch des Opfers ist, das sie in ihren Dienst nimmt, das sie demokratisiert – dabei aber inhaltlich sich gleichläßt. War diese – in den Quellen zwar greifbare, aber nicht so deutlich zu Tage liegende – Seite der Griechen damals nicht etwas nur allzu Selbstverständliches, das erst uns im christlichen Abendland unselbstverständlich werden konnte – so daß es erst einer Wissenschaft bedurfte, die bei der Betrachtung der Antike über deren uns zugewandtes Gesicht hinauszublicken vermag, um sie wiederzuentdekken? Einer Wissenschaft, die es in Ansätzen in der »Schule von Cambridge«, im Basel Karl Meulis längst gab, die von

13

Louis Gernets Schülern in Frankreich praktiziert wird, in der aber das Werk Burkerts heute einen besonderen, vorbildlichen Rang einnimmt, übrigens auch die französische Forschung stark befruchtet hat? Einer Wissenschaft, die freilich die Synthese noch zu leisten hat, zu der sich die beiden Seiten des Griechentums zusammenfügen und in der dann in einem anderen, wiederum weiteren Rahmen die politische Revolution der Weltgeschichte erst recht verständlich wird. Insofern verdient Burkerts Werk nicht nur dankbare Anerkennung, sondern es ruft auch hohe Erwartungen wach.

WALTER BURKERT

Anthropologie des religiösen Opfers:
Die Sakralisierung der Gewalt

Widerwille und Widerstand gegen Gewalt und Aggression artikulieren sich heute weit deutlicher als in früheren Generationen. Soweit noch ein moralischer Konsens in der Öffentlichkeit besteht, geht er in diese Richtung. Dies dominiert in den offiziellen Medien und erreicht besonders die Beweglichen und Aufgeschlossenen, die Intellektuellen, die Jungen. Konservative sehen eher neue Probleme, wird doch nicht nur das Militär, sondern auch Polizei, Strafvollzug, Erziehung zunehmend in Frage gestellt. Auch mag man sich sorgen, ob etwa zur Kompensation eine geheime Lust an Gewalt und Aggression in die Subkultur ausweicht, z. B. den Videomarkt. Wird die Welt grau in grau, wenn mit der Aggression auch der Triumph verloren geht? Bedarf es zum mindesten der Aggression gegen die Aggression in Demonstrationen und »Märschen«, um den Alltag bunter zu machen? Trotzdem scheint sich ein Einstellungswandel von säkularem Ausmaß anzubahnen. Es wandelt sich damit auch der Blick auf die eigene Kultur, auf Tradition und Geschichte. Mit welcher Selbstverständlichkeit hat man noch vor wenigen Jahrzehnten, noch in meiner Schulzeit Geschichte als Kriegsgeschichte betrieben! Jetzt hat sich längst der Überdruß an Kriegen und Triumphen breitgemacht; die Siege werden problematisiert: wir haben den Blick für die Opfer und protestieren in ihrem Namen.

Merkwürdig ragt dabei mit dem Begriff »Opfer« ein Stück alter religiöser Tradition noch in unsere Gegenwart. Wir sprechen von den Opfern einer Katastrophe, eines Verbrechens, eines Kriegs; englisch entspricht *victim,* französisch *victime,* von lateinisch *victima* »Opfertier«. Die Aufforderung freilich zum aktiven »Opfer«, die doch noch vor wenigen Jahrzehnten möglich war, der Wille zum »Opfer«, die Freiwilligkeit des Opfers bis zur Selbstaufopferung, dies ist kaum noch anzubringen. Allenfalls wieder in der Subkultur, in Sekten, in Selbstmordkommandos von Terroristen, oder in der fremden Kultur des militanten Islam rührt uns etwas von der irrationalen Macht des Opfers an.

Von Haus aus ist das »Opfer« ein religiöser Akt – das deutsche Wort kommt von lateinisch *operari,* »handeln«. Man bringt dem Gott an seinem Altar ein Opfer dar; dies bedeutet, zumindest in der intensivsten Form, daß man ein Opfer schlachtet. Hier wird, neben dem Theologen und Religionswissenschaftler, der Altertumswissenschaftler zuständig oder vielmehr beunruhigt und herausgefordert. Es gibt eine sehr alte christliche Opfertheologie, wonach nur das vollkommene Opfer des Gottessohnes, sein Tod am Kreuz die Menschheit mit Gott versöhnen konnte; in der Redeweise vom »Lamm Gottes« ist dabei das uralte Bild vom Opfertier bewahrt.[1] Von der Praxis der Tieropfer künden, neben Israel, auch in der Welt der klassischen Antike allenthalben die Altäre, die zu jedem Heiligtum gehören: kein griechischer Tempel ohne Altar, an dem das Blut der geopferten Schafe und Rinder ausgegossen wurde. Um den Weltfrieden zu feiern, errichtet Kaiser Augustus einen Altar, *Ara Pacis Augustae;* man kennt die erlesenen Marmorreliefs, Höhepunkt augusteischer Kunst: sie stellen den Kaiser im Opferzug dar, sie bilden den festlichen

Rahmen für reales, ja banales Schlachten und Blutvergießen. Warum und wozu? Wieso eigentlich muß man Tiere schlachten, damit Friede sei?

Schon gebildete Menschen der Antike haben so gefragt, ja nicht wenige haben bestritten, daß Götter so etwas verlangen können; aber sie setzten sich nicht durch. Stärker war der Brauch, die »Sitte der Väter«, ein irrationaler Zwang: dies muß so sein. Man läßt dem Willen der Götter gern den Willen des Opfers entsprechen: freiwillig geht es dem Tod entgegen. Durch den Erfolg des Buches »Kassandra« von Christa Wolf ist vielen wohl die Situation Kassandras vor dem Löwentor von Mykene gegenwärtig, in Erwartung des eigenen gewaltsamen Todes. Diese Situation ist von Aischylos in seinem Drama »Agamemnon« entworfen, und da heißt es von Kassandra: »Gleich einer vom Gott getriebenen Kuh schreitest du guten Mutes zum Altar«.[2] Das Bild des Opferzugs, mit dem geschmückten, ruhig schreitenden Tier im Zentrum ist uns von der antiken Kunst her wohl vertraut. Der Gott selbst ist es, der das Opfer »treibt«. Bei Aischylos wird der Mord an einem Menschen mit Opfer-Metaphorik beschrieben; heißt dies, daß das Opfer seinerseits Vollzug eines Mordes ist? Man kennt die Geschichte von Abraham und Isaak, Inbild des Opfers: Ohne Begründung verlangt Gott ein Menschenopfer, das Opfer des eigenen Sohns. Als Ablösung tritt im letzten Augenblick der Widder ein, das von Natur ganz unbeteiligte Tier. Das Verbrennen von Widdern ist das realiter im Tempelhof von Jerusalem vollzogene Opfer. Die mythische Erzählung läßt hinter dem Tieropfer ein Menschenopfer auftragen. Die Ausgrabungen auf dem »Tophet« von Karthago und Mozia haben erschreckend gezeigt, wie bei den Phöniziern Tieropfer immer wieder mit Menschenopfer abgewechselt haben.[3] Gewiß, das Christentum hat dies überwunden. Und doch hat gerade das Christentum das Meßopfer geschaffen, hat mit dem Kreuz das Bild einer Menschentötung von exemplarischer Grausamkeit ins Zentrum gestellt, und christliche Kunst hat im Mittelalter eine unbehagliche Vorliebe für grausame Martyrien-Darstellungen entwickelt, durchaus auf dem Hintergrund der Opfer-Theologie, der Nachfolge Christi in den Tod. Das Opfer bleibt, was es war, das Heilige schlechthin, lateinisch *sacrificium*, heiliges Tun, griechisch *hiereúein*.

Hier liegt ein Paradox vor, das ebenso fundamental wie allgemein ist – nur aus methodischen Gründen beschränken wir uns im wesentlichen auf das jüdisch-christliche und das griechische Material. Insofern bekanntlich Religion mit der Formung menschlicher Gesellschaft aufs engste verbunden ist, handelt es sich zugleich um ein Paradox menschlicher Gesellschaft. Freilich ist es bezeichnend, daß eigentlich erst in unserer Zeit dieses Paradox deutlich sichtbar geworden ist und zu weiter ausgreifenden Diskussionen Anlaß gegeben hat. Im Jahre 1972 erschienen gleichzeitig zwei Bücher, die eine prinzipielle Auseinandersetzung damit in Angriff nehmen, René Girard, *La violence et le sacré,* »Die Gewalt und das Heilige« – weitere Studien, die in die gleiche Richtung zielen, sind gefolgt[4] –, und mein Buch *Homo Necans,* »Der Mensch, der tötet«. Im Titel von Girards Buch ist das Paradoxon besonders prägnant zusammengefaßt. Wie ist es zu verstehen, daß Blutvergießen und Töten in einem zentralen Akt der Religionen und der damit verwachsenen gesellschaftlichen Institutionen seinen festen Platz hat?

René Girard gibt die Antwort, indem er die Frage umkehrt: wie ist überhaupt Friede in menschlichen Gruppen möglich, die doch stets den zerstörenden Kräften von Interessenkonflikten und Eifersucht ausgesetzt sind? Girard führt dabei den Begriff des *désir mimétique* als einer psychologischen Grundkraft ein, »Verlangen«, das durch »Nachahmung« des Partners sich orientiert und steigert. In der intensiven Interaktion menschlicher Gruppen, zumal wenn noch der Druck einer äußeren Krise – Krankheit, Hunger – dazukommt, muß sich dieses *désir mimétique* emporschaukeln bis zu einem kritischen Punkt; dann setzt ein merkwürdiger, gefährlicher Mechanismus ein: ein »Opfer«, *victime,* wird designiert, ein »Sündenbock«, *victime émissaire,* und damit löst sich das Gegeneinander aller gegen alle unversehens in Einmütigkeit: das »Opfer« erscheint als »schuldig« und muß vernichtet werden; durch den »Lynchmord« an dem angeblich schuldigen Opfer entsteht Einigkeit, ist der Friede hergestellt. Nach Girards Theorie setzt alle menschliche Gesellschaft, insofern sie ein friedliches Zusammenleben ermöglicht, diesen Mechanismus voraus: kathartische Gewalt verhindert unreine Gewalt. Allerdings wird dies aus dem Bewußtsein verdrängt, wie auch der Titel von Girards nächstem Buch andeutet: *Des choses cachées depuis la fondation du monde.* Doch in Opferritualen, in denen ein Tier als Ersatz eintritt, wird jene Urszene in harmloserer Form weiter durchgespielt. Auch die Dichter dringen zurück bis in jene Tiefe des Ursprungs: die Kunst enthüllt, was der Mythos verbirgt. Ein Beispiel Girards ist das Drama »König Oedipus« von Sophokles: für die von der Pest bedrängte Stadt wird der König zum »Sündenbock« gemacht, er erscheint mit grausigster Schuld beladen, die doch eigentlich nicht seine Schuld ist und die er doch zu tragen hat.

Man erkennt als Hintergrund der Theorie den Begriff der Katharsis, der reinigenden Entladung, wie ihn zuerst

Jacob Bernays aus Aristoteles-Texten gewonnen hat,[5] Nietzsche und Freud weiter ausgebildet haben. Explizit nimmt Girard auch auf Freuds »Totem und Tabu« Bezug, dazu auf die Aggressionstheorie von Konrad Lorenz: Gemeinsam ausgespielte Aggression schafft das »Band« der Einigkeit. René Girard ist von Haus aus Literaturkritiker, doch dringt er durch die Literatur hindurch auf reales Geschehen und seine psychologisch-gesellschaftlichen Bedingungen. Es ist eine gewisse Verengung, wenn im folgenden nur die formalisierte, wiederholbare Realität behandelt wird, das ritualisierte Opfer; ihm gilt auch das erste Kapitel von *La violence et le sacré*. Opfer ist demnach Kanalisation und Ableitung von Aggression, die sonst die Gesellschaft zerstören müßte: »c'est la communauté entière que le sacrifice protège de sa propre violence« (22); umgekehrt: »c'est la violence qui constitue le coeur véritable et l'âme secrète du sacré« (52); »tout rituel religieux sort de la victime émissaire, et les grandes institutions humaines... sortent du rite« (425).

Mit seiner Theorie gewinnt Girard ein hermeneutisches Modell, das sich in der Interpretation von Literatur und Mythologie bewähren kann. Als Beispiel die biblische Erzählung von Kain und Abel:[6] Kain ist ein Ackersmann, und er bringt Gott Gaben von den Früchten des Feldes; Abel ist ein Schafhirt, und er schlachtet ein Schaf »von den Erstgeburten« seiner Herde für Jahwe. Gott aber sieht auf das Opfer Abels, auf das Opfer Kains sieht er nicht. Kain ergrimmt, und dies führt zum Brudermord. Jahwes Wahl des ihm genehmen Opfers ist im Text nicht motiviert; der These griechischer Reformer, wonach unblutige Opfer die eigentlich reinen und frommen sein müßten, läuft Jahwes Entscheidung schnurstracks zuwider: er will das blutige

Opfer. Übersetzt in Girards Theorie, heißt dies: die Gesellschaft braucht die Ableitung der Aggression, und dies eben leistet das blutige Opfer; die Früchte des Feldes zu schenken, genügt da nicht. Konsequenterweise begeht denn auch Kain die weit ärgere blutige Tat, die seine Sonderexistenz begründet: er lebt fortan als Nomade fern vom Ackerbau, doch unverletzlich dank dem Kains-Zeichen. Dazwischen steht, wie ein versprengter Rest einer anderen Fassung, daß Kain eine Stadt erbaute, die erste Stadt des Menschengeschlechts. Damit hat man den Mythos von Romulus und Remus verglichen:[7] auch die Stadt Rom nimmt ihren Anfang mit einem Brudermord. Die Gesellschaft ist gegründet auf ein »fundierendes Verbrechen«, *la violence fondatrice*.

Mit Romulus und Rom sind wir wieder zu Themen geführt, die die klassische Altertumswissenschaft direkt betreffen. Mein Buch *Homo Necans,* das griechischen Opferritualen gilt, enthält Überlegungen und Interpretationen ganz ähnlicher Art und führt für Kain und Abel auf die gleiche Deutung. Den gemeinsamen Hintergrund bildet die Aggressionstheorie von Konrad Lorenz und durch sie hindurch Anregungen Freuds aus »Totem und Tabu« und der späteren Lehre vom »Todestrieb«. Während jedoch in Girards Modell der spontane Sündenbock-Mechanismus auf Grund des *désir mimétique* eigentlich nur eine Bedingung der Möglichkeit ist, die keine historische Konkretisierung oder gar Verifikation verlangt, sieht sich der Philologe und Historiker veranlaßt, entschieden die historische Entwicklung der menschlichen Kultur in Rechnung zu stellen; dies macht die Theorie konkreter, partiell verifizierbar, freilich auch verwundbarer, weil falsifizierbar im einzelnen.

Die griechische Religion führt beim Phänomen des Opfers ein weiteres Paradox vor Augen, das in anderen

Kulturen durchaus vorhanden, doch weniger augenfällig ist: daß das Tieropfer aufs Essen zielt. »Für die Götter« werden auf den Altären die Knochen des Opfertiers, von Fett bedeckt, verbrannt, auch die Gallenblase, den Rest aber, das ganze gute Fleisch nimmt die fromme Gemeinde zu sich im festlichen Mahl. Opfern heißt einen Festbraten zur Verfügung stellen. Götterfeste sind die wichtigsten Gelegenheiten, überhaupt Fleisch zu essen. Es gibt archaische Gruppen, wo Fleisch überhaupt nur im Rahmen des Opfers gegessen wird. So steht es expressis verbis im Buch Leviticus des Alten Testaments: wer ein Tier schlachtet ohne Opferzeremoniell, dem soll es als Blutschuld angerechnet werden.[8] Im Tempelkult von Jerusalem freilich ist das Holokaust, das vollständige Verbrennen von Schafen zum wichtigsten Akt geworden. Für die Griechen blieb das Opfermahl zentral, obgleich es schon sehr früh aus kritischer Distanz betrachtet wird: der Mythos von Prometheus, der in Hesiods Theogonie gestaltet ist, nennt das Opfermahl nicht weniger als einen Betrug an den Göttern. Als listiger Menschenfreund hat Prometheus Knochen und Fleisch in dieser Weise verteilt, daß den Göttern Knochen und Fettdampf bleiben.[9] So profitieren in Wahrheit die Menschen von ihrem Opfer, ihrem »Heiligen Handeln«. Wie konnte so etwas als religiöses Ritual zustandekommen?

Die Antwort gab Karl Meuli in einer großen Studie über »Griechische Opferbräuche« 1946.[10] Sie liegt wieder in einer Umkehrung der Fragestellung: nicht warum die Menschen Fleisch essen, ist das Problem, sondern warum das Fleischessen ein heiliger Akt, »heiliges Wirken« schlechthin ist. Karl Meuli hat zunächst den griechischen Befund aus seiner Vereinzelung gelöst: zwar nicht Knochenverbrennung, wohl aber »Bestattung« von Knochen, Deponierung von Knochen, insbesondere Schenkelknochen und Schädeln geschlachteter Tiere an heiliger Stätte finden sich besonders bei sibirischen Jägern und Nomaden, und dies läßt sich bis ins Paläolithicum zurückverfolgen. Ein Jägerbrauch also liegt vor, der sich sowohl im Nomadentum als auch, leicht verwandelt, in der Bauern- und Stadtkultur gehalten hat. Es geht dabei darum, gleichsam den Wesenskern des getöteten Tieres zu bewahren bzw. zurückzugeben an eine Lebensmacht, die über das Jagdwild verfügt. Daß der Mensch die Tiere ausrotten könnte und damit die eigene Lebensgrundlage zerstört, ist eine ganz konkrete Angst schon der »primitiven« Jäger. Vielerlei Mythen, auch in der Edda, auch in Alpenländer-Sagen, schildern, wie aus den Knochen ein Tier oder auch ein Mensch wieder entstehen kann;[11] es darf nur ja kein Knochen gebrochen werden. Oft ist, in sibirischen Kulten wie in Alpenländer-Sagen, von einem Herrn oder einer Herrin des Jagdwilds die Rede.[12] Die Idee der Restitution, der Rückgabe an einen Herrn oder eine Herrin des Lebens findet man in den Opferritualen in verschiedener Gestalt immer wieder ausgedrückt. Laut Homer werden mit den Knochen auch kleine Teile von »allen Gliedern« des Opfertiers mitverbrannt, so daß der Intention nach doch die »Gesamtheit« des geschlachteten Wesens den Göttern gegeben wird; ebenso werden bei den Römern den »ausgeschnittenen« Innereien, die den Göttern zukommen, *exta,* Teile von allen übrigen Gliedern beigegeben – der Terminus hierfür ist *magmentum.*[13] Die Aufmerksamkeit kann sich aber auch besonders auf die Reproduktionsorgane des Opfertiers richten: der Großen Göttin in Kleinasien werden die Hoden der Opfertiere umgehängt – dies die Erklärung für die vielberufenen »vielen Brüste« der Artemis von Ephesos.[14] Aus der gleichen Vorstellung, mit einem verständlichen anatomischen Irrtum, dürfte herzuleiten sein, daß nach den Opfergesetzen Israels gerade die Nieren für Jahwe verbrannt werden. In dem weiten von Karl Meuli gezogenen Rahmen, der bis ins Paläolithicum zurückreicht, ergibt sich also die Sinndeutung der paradoxen Knochenverbrennung, der prometheischen Opferteilung: es geht um die Restitution des Lebensgrundes, den Bestand des Lebens über Schlachten und Töten hinweg. Hierzu hat Meuli in eindrucksvoller Weise Jägerbräuche vor allem aus Sibirien zusammengetragen, in denen ausgedrückt wird, wie das Töten der Tiere als etwas Bedenkliches, als Befleckung, ja wie eine Schuld erscheint, die entsühnt oder aber umgangen und abgewälzt werden muß: es gibt eine »Unschuldskomödie«, in der das Opfer beklagt wird und die Verantwortung anderen, Fremden, aufgebürdet wird;[15] entsprechendes gibt es in einem vielbesprochenen Opferritual aus Athen, genannt *Buphonia,* »Ochsenmord«.[16] In alledem drückt sich, laut Meuli, schon beim sogenannten Primitiven eine grundsätzliche »Ehrfurcht vor dem Leben« aus. Sie hat um Schlachten und Fleischverteilen jene Rituale der Vorsicht, des Schuldgefühls, der Restitution erwachsen lassen, die in den Opferritualen vorliegen. Der Jäger muß töten, um zu leben, und er spielt dieses Paradox in seinen Bräuchen aus. So wird das Opfer-Paradox historisch einsehbar: man hat nicht zu fragen, wie je denn Töten und Essen ins Götterfest hineingeraten sind; dies war seit je da, doch daß man im notwendigen Töten sich beugt vor der Macht des Lebens, ist Religion.

Eindrucksvoll ist, wie Meuli so das scheinbar Abstruse menschlich verstehbar gemacht hat; dies gibt seiner Interpretation die anthropologische Tiefe. Es geht nicht um Primitives, sondern um Fundamentales. Zugleich ist Meulis

Studie ein Exempel, wie konsequentes Fragen über die Grenzen der Einzeldisziplin hinausführen muß: Meuli war klassischer Philologe, doch von der griechischen Literatur, dem Hesiod-Text, führt das Opferproblem zur allgemeinen Religionswissenschaft und damit von Hellas nach Sibirien und in andere Reiche »wilden Denkens«, vom Altertum bis weit in die Prähistorie zurück. Gewonnen wird eine anthropologische Perspektive, die notwendig interdisziplinär ist.

In *Homo Necans* ist Meulis Ansatz noch nach zwei Richtungen erweitert: zum einen wurde die Diskussion aufgegriffen, die in Prähistorie und Anthropologie über die Rolle der Jagd bei der Menschwerdung in Gang gekommen war, die »hunting hypothesis«; zum anderen wurde das Jagen und Töten mit der Aggressionstheorie von Konrad Lorenz verbunden, vor allem mit dem Modell, wie aus gemeinsamer Aggression Gemeinschaft entsteht. Dies bedeutete, auch die Verhaltenswissenschaft, die Ethologie, mit der historischen Religionswissenschaft in Kontakt zu bringen, wobei ein wesentlicher verbindender Begriff der des »Rituals« und der »Ritualisierung« ist.

»The Hunting Hypothesis« ist der Titel eines Buchs von Robert Ardrey, 1976. Die Thesen wurden von ihm und anderen schon früher entwickelt; auch der Bestseller von Desmond Morris mit dem burschikosen Titel »Der nackte Affe« liegt ganz auf dieser Linie.[17] Die Primaten sind von Haus aus Früchte-Esser. Sie haben sich entwickelt als intelligente Baumkletterer, mit der Greifhand und dem genauen räumlichen Sehen. Der Mensch hingegen hat die Bäume wieder verlassen und die Erde erobert, als Jäger. Schon im frühen Paläolithicum ist der Mensch erfolgreicher Großwildjäger; dokumentiert ist dies z. B. bereits in den Funden von Chou Kou Tien, vom sogenannten Peking-

Menschen.[18] Vorausgesetzt ist dabei ein charakteristischer Komplex an physischer Ausstattung und an Verhaltensweisen, die den Menschen von seinen nächsten Verwandten deutlich abheben und damit zum Menschen machen: aufrechter Gang und Waffengebrauch, so daß schnelles Laufen auf zwei Beinen möglich ist und die Hände frei bleiben; Zusammenarbeit in Gruppen mit einem entsprechenden Zeichensystem; Feuergebrauch, insofern die erste effektive Waffe der im Feuer gehärtete Holzspeer war; Differenzierung der Geschlechter, insofern die Männer auf die Jagd gehen und Frauen und Kinder im Schutz des Herdfeuers zurücklassen [19]– dies ist nicht unveränderliche Natur, doch wer dagegen angeht, hat es mit einer Tradition von 100 000 Generationen aufzunehmen. Dies bedeutet vor allem, daß Nahrung ausgetauscht und gemeinsam verzehrt wurde: die Männer bringen die Jagdbeute, die Frauen sammeln eßbare Früchte und Kräuter. Das Fleisch, die hochwertige Proteinnahrung, wird dabei in autoritärer Weise verteilt.[20] Beides, die Geschlechterdifferenzierung in Relation zur Nahrungsbeschaffung und die Fleischverteilung, hat weder bei Primaten – mit einer gleich zu nennenden Ausnahme – noch etwa bei Raubtieren ein Analogon. Dies ist spezifisch menschlich, für menschliche Gesellschaft aber absolut fundamental. Der Soziologe Marcel Mauss hat 1923 eine berühmte Studie über die »Gabe«, *Le don*, veröffentlicht.[21] Der universale Akt des »Gebens« auf Grundlage der Reziprozität ist zurückführbar auf die Grundsituation der Fleischverteilung nach der Jagd. Noch im Griechischen bezeichnet *géras* die Ehre und zugleich konkret das Fleischstück, und das allgemeinere Wort *moîra*, das die Weltordnung überhaupt bezeichnet, heißt gleichfalls von Hause aus Fleisch-»Portion«.[22] Kurzum: die »hunting hypothesis« führt auf ein Grundmuster des Funktionierens menschlicher Gesellschaft in Kooperation und gegenseitigem Austausch, mit der Sequenz Erjagen – Töten – Verteilen; zwischen dem »Nehmen« und dem »Geben« steht das Schlachten. Es ist dann ohne weiteres zu sehen, wie dies im Tieropfer nachgespielt wird: Man bringt das Tier, man schlachtet, man verteilt; in symbolischer Reduktion: »nahm er das Brot, brach's, und gab es seinen Jüngern«. Damit aber steht von Anfang an Blutvergießen und Töten im Zentrum der Grundordnung menschlicher Gesellschaft, die auf Kooperation und Reziprozität beruht.

Wenn man in dieser Weise vergleichsweise rezente Vergangenheit und die Hominisierung des Menschen zusammensieht, darf man freilich nicht aus dem Bewußtsein verlieren, welch enorme Zeiträume man damit überspannt. Die Trennung von Menschen- und Schimpansenstamm dürfte mehr als 5 Millionen Jahre zurückliegen. Die »missing links« sind in letzter Zeit immer zahlreicher, aber auch immer verwirrender geworden. Die wesentlichen evolutionären Schritte erscheinen nicht mehr koordiniert, sondern durch lange Zeiträume getrennt zu sein: aufrechter Gang schon sehr früh – zum Transport von Nahrungsmitteln? –, Werkzeugherstellung erst weit später, später auch die Zunahme des Gehirnvolumens.[23] In welcher Phase die Jagd entscheidend wichtig wurde, ist umstritten. Man hat vor der Überschätzung der Jagd auch grundsätzlich gewarnt. In rezenten Jägervölkern, die der Beobachtung zugänglich sind, liefert de facto die Jagd immer nur einen Bruchteil der verzehrten Nahrung.[24] Dem wiederum ist entgegenzuhalten, daß offenbar überall die Jagd ein ganz spezielles Prestige genießt, das weit über ihre reale Bedeutung hinausreicht; sie ist und bleibt fast überall Männersache; und für fast alle

Menschen ist der Fleischgeschmack etwas besonderes, das wahre Zentrum eines guten Essens. Dies ist der Paläolithiker in uns. Die Regression zum Vegetarier ist möglich, bedarf aber eines gewissen seelischen Aufwandes. Jagd und Fleischessen hat die Menschheit geprägt. Wichtig ist dabei, daß eine Vorstufe des Menschlichen, nämlich eben Jagd und Fleischverteilung, sich bereits bei Schimpansen beobachten ließ: sie jagen gelegentlich erfolgreich kleinere Tiere und essen sie mit Genuß.[25] Solche Jagd wird fast ausschließlich von männlichen Schimpansen ausgeführt, und der erfolgreiche Jäger pflegt dann, umlagert von bettelnden Gruppenmitgliedern, nach Laune Fleischstücke zu verteilen. Es ist dies die einzige Gelegenheit, bei der Schimpansen Nahrung verteilen – von der Spezialbeziehung Mutter–Kind abgesehen –: nach der Banane greift jeder für sich. Inwieweit das Schimpansenverhalten als vor-menschlich oder gar als dehumanisiert zu beurteilen ist, mag dahinstehen. Es deutet jedenfalls ebenso auf das Alter des Schemas wie auf die Sonderstellung von Jagd und Fleischverteilung im sozialen Kosmos. Wir finden dies reflektiert noch in der Sonderstellung des Opfermahls in antiken Kulturen. Auch die Tatsache, daß jede rechte Opferstätte, jedes alte Heiligtum einen Baum haben muß, kann man vor diesem Hintergrund sehen.

Wenn man mit solcher Kontinuität in der Organisation des Verhaltens über Tausende von Generationen hinweg rechnet, wird der Begriff des Rituals wichtig, der eine Brücke von der Verhaltensforschung zur Religion schlägt. Kritiker sagen, es handle sich hier um eine Äquivokation; ich bin nicht dieser Meinung.[26] Ritual ist standardisiertes Verhalten in kommunikativer Funktion, wobei die pragmatische Grundlage zurücktreten oder ganz verschwinden kann; dafür wird eine »Botschaft« vermittelt, ein »symbolischer«

Gehalt. So ist »Bringen« und »Geben« in mannigfacher Weise ritualisiert worden, als Ausdruck von Königsmacht und Unterordnung – ich denke an die Reliefs von Persepolis – wie als religiöses Gaben-Opfer. Es gibt auch gerade in Hochkulturen die zeremonielle Jagd, wieder als Ausdruck von Königs- und Adelsherrschaft, es gibt praktisch überall das zeremonielle Essen als Ausdruck von Gemeinschaft, es gibt aber auch das demonstrative Töten, Ausdruck von höchstem Ernst und höchster Macht; all dies findet sich im Bereich der Opferrituale. Die Ethologie hat Tierrituale studiert, die angeboren und somit genetisch fixiert sind, wobei durch den Vergleich verschiedener Species die Evolution vom Pragmatischen zum Symbolischen dokumentiert werden kann. Menschliches Verhalten ist weithin erlernt; dies gilt auch für Rituale. Neben imitativem und bewußt veranstaltetem Lernen gibt es freilich auch frühkindliche Prägung, die nicht rückgängig zu machen ist, und angeborene Elemente spielen gewiß eine tragende, wenn auch schwer nachweisbare Rolle. Jedenfalls ist mit einer kontinuierlichen, nie abgerissenen Tradition im Fortbestand menschlicher Gesellschaft zu rechnen, Tradition des Erlebens und des rituellen Handelns in stetiger Korrelation, vor und neben der Sprache, die dann die wichtigste Form geistig prägender Tradition geworden ist. Wer die Sprache nicht lernt, wird als Idiot behandelt; aber auch »rituelle Idioten« haben in geschlossenen Gesellschaften keine Chance. Rituelles Verhalten ist somit in der Evolution der Kultur geradezu als Auslese-Faktor mit in Rechnung zu stellen.

Die Entwicklung von der Jagd zu Jagdritualen, von Jägerritualen zu Opferritualen in der Prähistorie muß weithin Spekulation bleiben; auf Dokumentation ist nicht zu hoffen. Die frühesten scheinbaren Zeugnisse für religiöse

Knochen-Deposita, die Meuli heranzog, die »Bären-Bestattungen« des Altpaläolithicums, sind als Befund innerhalb der Prähistorie neuerdings wieder sehr umstritten.[27] Aus dem Jungpaläolithicum dürfte einiges Wesentliche faßbar bleiben. Auch die Sprache war damals gewiß schon entwickelt, während unsicher ist, inwieweit der Neanderthaler sprechen konnte.[28] Als stärkster Einwand gegen die Jagd-Opfer-Theorie wird der entscheidende Kulturwandel aufgeführt, den der Übergang zu Ackerbau und Viehzucht bedeutet hat, die »neolithische Revolution«: Opfertiere sind praktisch stets domestizierte Tiere. Besagt dies nicht, daß Tieropfer eben – frühestens – eine neolithische »Erfindung« sind? Der Übergang zur Stadtkultur, die »urbane Revolution«, stellt dann eine weitere Kulturschwelle dar, die abermals wesentliche Änderungen der Tradition mit sich brachte. Entgegen solchen Einwänden bleiben Meulis Beobachtungen über Entsprechungen im Verhalten, im Ritual von Jägern und Viehzüchtern bestehen: nicht nur der Umgang mit Tieren überhaupt, das Schlachten und Essen, sondern eben Formen der vorbereitenden »Reinheit«, der Entschuldigung, der »Unschuldskomödie«, der angeblichen Freiwilligkeit des Opfertiers, der Restitution und Rückgabe an die Gottheit: dies gibt es hier wie dort, dies spricht für Kontinuität über die Kulturschwellen hinweg. In der Tat ragen Jagdzeremonien in die neolithische Kultur und in die Stadtkultur hinein. Besonders aussagekräftig sind die Wandmalereien aus den »Heiligtümern« der neolithischen Stadt Çatal Hüyük in Anatolien, ca. 6000 v. Chr.:[29] sie zeigen Männer, als Leoparden kostümiert, bei der Stier- und Hirschjagd: der Mensch wird zum Raubtier, um zu jagen; dann die Restitution: die Stierhörner werden in den »Heiligtümern« aufgestellt, unter dem plastischen Bild einer gebärenden Göttin. Im griechischen Ritual kommt es vor, daß ein Haustier erst »freigelassen« wird, um geopfert zu werden;[30] es wird vom Hausgenossen erst wieder zum »wilden« Tier. Umgekehrt gibt es sibirische Jäger, die ein Bärenjunges einfangen und aufziehen, um den Bären dann in einer großen Opferzeremonie zu töten und zu verspeisen.[31] Überspitzt gesagt: die ideale Jagd wird zum Opfer, das ideale Opfer zur Jagd. Der historische und wesenhafte Zusammenhang von der Jagd zum Opfer steht m. E. außer Frage.

In Frage steht nur, wie weit man auf diesem Weg an das Phänomen des Heiligen herankommt, das das Opfer als *sacri-ficium* konstituiert. Hier muß zum Ritual doch wohl der sprachliche Ausdruck treten, dazu aber auch eine bestimmte Erlebens-Qualität; um psychologische Rekonstruktionen oder Konstruktionen kommt man hier kaum herum. Karl Meuli insistierte auf dem Ausdruck von Bedenken und Schuldgefühlen beim Jagen und Schlachten, der »Unschuldskomödie«, der »Ehrfurcht vor dem Leben«; ähnliche Gedanken hat Adolf Ellegard Jensen ausgesprochen.[32] Dem evolutionistisch Denkenden bleibt freilich das Zustandekommen dieser Einsicht oder Ergriffenheit ein Problem. In *Homo Necans* ist die Aggressionslehre von Konrad Lorenz herangezogen, Aggression mit Erregung, Angst und Triumph, woraus eine besondere persönliche Bindung entstehen kann; dies suchte ich auf das Modell der urtümlichen Jägergruppe zu übertragen: im gemeinsamen Jagen und Töten konstituiert sich die solidarische Gemeinschaft, beim Jäger wie dann später in den durch Opferriten verbundenen, verschworenen Gruppen von Clans, Bünden, ja Städten und Staaten. Die Aggression wird ausgespielt, im Durchgang durch den Schrecken des Blutvergießens bildet sich Bereitschaft zu Wiedergutmachung und Anerkennung

einer Ordnung. Nun ist aber die Lorenzsche Aggressionslehre von vielen Seiten heftig kritisiert worden, die These
vom angeborenen Aggressionstrieb zumindest hat sich nicht
gehalten;[33] die Verbindung von Aggression und Jägerverhal-
ten ist eine gewagte Hypothese. Allerdings geht es gerade in
der Perspektive der rituellen Tradition nicht darum, daß
bestimmte, womöglich angeborene Formen des Erlebens
und Reagierens die Riten hervorbringen, also etwa eine
besondere Disposition zu Schuldgefühlen und Ehrfurcht die
Formen von Restitution und Ehrung, sondern daß die
rituelle Tradition besondere Reaktionen vorschreibt, die
sich bewähren; sie werden eingeübt, ja erzwungen, indem
der »rituelle Idiot« ausfällt. Es wird dem entgegengehalten,
daß die Zuschreibung von Schuldgefühlen an einen Neoli-
thiker oder gar Paläolithiker höchst unwahrscheinlich sei.
Die Buschmänner, heißt es, Musterbeispiel einer sehr primitiven Jägerkultur, zeigen keinerlei Mitgefühl mit ihrer
Beute und freuen sich nur des Fleisches. Demgegenüber
möchte ich festhalten, daß jene Riten der Sorge, ja der
Schuld und der Wiedergutmachung nicht nur in Sibirien
bezeugt sind, sondern auch in Afrika und Südamerika, also
doch eine recht allgemeine menschliche Möglichkeit zum
Ausdruck bringen.[34] Repräsentieren die Buschmänner in
besonders ungünstiger Umwelt eine Reduktion in der Richtung, die in Turnbulls berühmtem Buch *The Mountain
People* beschrieben ist?[35] Allen psychologischen Deutungen
freilich bleibt das Problem, daß Phänomene psychologisch
vieldeutig sind, daß das Eigentliche verborgen sein kann und
darum dem wissenschaftlichen Beweis nicht zugänglich ist –
ein Problem jeder »Tiefen«-Psychologie. Selbstsicherheit
und schlechtes Gewissen, Triumph und Angst können sich
in merkwürdigen Verbindungen gegenseitig bedingen oder

ineinander umschlagen. Der Deuter wird, bewußt oder unbewußt, je auch die eigene Psyche mit ins Spiel bringen. Fürs antike Tieropfer scheint mir deutlich, daß es um ein Töten geht und damit um eine Bestätigung des Lebens aus dem Tod – dies auch in der schlichten Form des Essens. Den emotionellen Höhepunkt markiert der unartikulierte Schrei der Frauen, die *ololygé*, wenn das Beil niederfällt. Tötungsschock und nachfolgende Ordnung gerade auch in der festlichen Mahlzeit, dies ist analog zu den Begriffen von *mysterium tremendum, fascinans* und *augustum,* mit denen Rudolf Otto »Das Heilige« umschrieben hat.[36] Den ethologischen Hintergrund beleuchtet die von Konrad Lorenz angeführte Erklärung der »heiligen Schauer«, die wir den Rücken entlanglaufen fühlen in Situationen der Furcht und Ehrfurcht, auch der aggressiven Begeisterung, beim Aufbruch zu Demonstration und Kampf: es sind dies die Relikte jenes Nervensystems, das beim Primaten die Rückenmähne sich sträuben läßt zum Imponiergehabe: Umrißvergrößerung als Drohgebärde.[37] Auch das Erleben des Heiligen entfaltet sich auf der von der biologischen Evolution gelegten Grundlage im Sinnfeld von Aggression und Angst.

Damit ist natürlich nicht Religion schlechthin erklärt; da kommen noch ganz andere Phänomene wie Ekstase, Vision, Magie, Mantik, Meditation, auch Musik und Tanz als entscheidende Faktoren mit ins Spiel. Dies liegt außerhalb der jetzt verfolgten Linie der Opferrituale, so gewiß diese mit all jenen Phänomenen in Verbindung treten können.

Es bleibt die Herausforderung durch das konkurrierende Modell von René Girard. Der Sündenbock-Mechanismus, wie ihn Girard beschreibt, ist andersartig als das Jagd-Opfer-Modell, trotz der parallelen Anwendung von Konrad Lorenz' Aggressionstheorie. Sein Vorteil ist, daß es die menschlich-gesellschaftlichen Funktionen unmittelbar, ohne den Umweg übers Tier, beschreiben kann, während von der Jagd her wiederum die tatsächliche Rolle von Tier und Essen im Opfer direkt erklärt wird. Nun geht es aber nicht um ein Entweder-Oder. Der Neigung unseres linearen Denkens, monokausale Theorien aufzustellen, stehen gerade die biologischen Beobachtungen von der ungeheuren Komplexität aller Lebensvorgänge entgegen. Von den tatsächlich bezeugten Ritualen ausgehend muß man auch René Girards Modell noch weiter differenzieren. Girard sieht in der Austreibung des König Ödipus bei Sophokles und in der Zerreißung von König Pentheus durch die Mänaden in Euripides' Bakchen den gleichen Mechanismus am Werk, obgleich doch zwischen dem Verjagen und dem Erjagen, dem Austreiben des Befleckten und dem Einfangen der Beute ein deutlicher Gegensatz besteht. Der eigentliche »Sündenbock« im Buch Leviticus 16 wird nicht eingefangen und getötet, sondern weggeführt in die Wüste und einer fremden Macht überlassen. Es lassen sich weitere Fälle eines derartigen Wegführens, Aufgebens, Überlassens an feindliche Mächte zusammenstellen; als Hintergrund kann man auf die Situation der von Raubtieren umlagerten Herde verweisen:[38] ein Mitglied, vielleicht ein Außenseiter, ein junges oder altes, krankes Tier wird zum »Opfer« werden. Gerade in dieser Sicht ist der »Sündenbock« Ausgestoßener und Retter zugleich. Dies ist freilich nur ein bildhafter Hintergrund, der aber verständlich, erlebbar, vielleicht sogar genetisch festgeschrieben ist: wie beliebt ist das Erzählmotiv von dem von Wölfen verfolgten Schlitten; einer muß »zum Opfer fallen«. Hier also haben wir einen Opferbegriff, der vom Jagd-Modell nicht abgedeckt wird, sondern eher seine Umkehrung darstellt:« der »opfernde« Mensch als der Gejagte, nicht als

Jäger. Es gibt Mythen von der Begründung des Opfers, die eine solche Situation ausmalen. Nach einem indischen Mythos hat Prajapati, das erste Wesen, das Feuer hervorgebracht, Agni. Agni ist ein Fresser, der nun mit offenem Maul auf Prajapati zukommt und ihn in Panik versetzt; zum Glück kann Prajapati aus seinen Händen Butter und Milch hervorbringen, die Opfermaterie, die man für Agni ins Feuer gießt.[39] Grausamer ist es im aztekischen Mythos: da brennt das verzehrende Feuer, in das ein Mensch als Opfer sich stürzen muß, »freiwillig«; der ersterwählte schreckt zurück, der zweite springt ohne Zaudern: er wird zur Sonne, der andere nur zum Mond[40] – der Kosmos ist durchs Opfer geschaffen, Feuer und Opfer sind immer wieder im Ritual präsent. In babylonischen Beschwörungstexten, die vor allem im Krankheitsfall anzuwenden sind, wird das Opfertier immer ausdrücklich als »Ersatz«, *puḫu*, für den Kranken bezeichnet: die Dämonen werden aufgefordert, sich an ihm zu sättigen und den Kranken frei zu lassen;[41] wieder also das Bild der Raubtiere, die durchs »Opfer« abzulenken sind. Auch im Griechischen gibt es die Vorstellung vom Ersatz- oder Ablösungsopfer durchaus. Die Dichtung malt gerade hier Menschenopfer aus, vor allem im Krieg oder gegen eine Seuche. »Leben um Leben«, *vitam pro vita, animam pro anima* heißt es in Opferinschriften aus dem römischen Nordafrika für »Saturnus«,[42] hinter dem wohl ein phönizischer Moloch steht. Auch an die christliche Opfer-Theologie ist nochmals zu erinnern: das freiwillige, stellvertretende Sterben, damit die anderen leben.

Hier also liegt ein Komplex von Opferritualen vor, den die Jagd-Opfer-Theorie nicht erklärt. Übrigens hat Meuli in seiner fundamentalen Arbeit einen solchen Anspruch auch nicht erhoben, er schränkt sein Modell ausdrücklich auf das

»olympische Speiseopfer« ein. Man kann die Unterschiede der beiden Modelle als Antithesen herausarbeiten: Hier Aggression – dort Angst; hier der Triumph des Tötenden – dort die Erleichterung dessen, der einen anderen an seiner statt sterben läßt; hier Gewinnen und Essen – dort Preisgeben an drohende Mächte; hier der Jäger – dort der Gejagte.

Eben damit zeigt sich, daß diese Antithesen aufeinander bezogen sind. Insofern ist die positivistische Feststellung, daß in der Praxis der Kulturen meist je verschiedene Opferklassen nebeneinanderstehen, kaum das letzte Wort. Im Alten Orient gibt es Opfermahlzeiten für die Götter und blutige Ersatzopfer für die Dämonen, im Griechischen kennt man düstere »Abwendungs«-Opfer, *apotrópaia*,[43] neben den glänzenden Götterfesten; inwieweit die Totenopfer eine eigene Kategorie darstellen, ist eine weitere Frage. Komplizierte Kategorisierungen bietet das Alte Testament. Es gilt, diese Differenzierungen nicht zu verwischen und doch das komplexe Ineinander zu sehen, das insgesamt das religiöse Opfer konstituiert.

In historischer Perspektive könnte man argumentieren, daß Ersatzopfer qua Tieropfer erst möglich wurden, als man über Haustiere verfügen konnte, also nach der »neolithischen Revolution« mit der folgenden Domestikation. Heißt dies, daß sie jünger sind als der Jagd-Komplex der sakralisierten Fleischmahlzeit? Kaum: in Form von Menschenopfern können Ersatzopfer weit älter sein; auch finden sich bei offenbar recht »primitiven« Ethnien wie Australiern Formen der blutigen Selbstverwundung, um den Zorn höherer Wesen zu beschwichtigen,[44] die man als äquivalent nehmen könnte. Als partielles »Selbstopfer« in Situationen der Angst erscheint das weitverbreitete Haaropfer, eine Entstellung, die nicht wehtut und vorübergeht; härter ist das gleichfalls vielfältig bezeugte Fingeropfer – es erscheint auch im griechischen Mythos: Orestes habe ich den eigenen Daumen abgebissen, um so die ihn verfolgenden Erinyen loszuwerden.[45] Zudem gibt es Preisgabe-Opfer von Eigentum, die seit je möglich waren, Versenkung von Wertgegenständen, was weit in die Prähistorie zurückreicht, Versenkung von erlegten Jagdtieren vielleicht schon im Jungpaläolithicum. Entspechendes wirkt bis in die Gegenwart: Ein Kollege hat mir erzählt, er habe im Kongo erlebt, wie ein Potentat im Seesturm Dollarscheine in die aufgewühlten Wogen warf, als zeitgemäßes Ersatzopfer. Es gibt geradezu ein biologisches Modell für solches Verhalten: Spinnenbeine, Eidechsenschwänze brechen im Notfall ab, um Verfolger irrezuführen und ein Entkommen zu ermöglichen.

Angst und Aggression sind offenbar in den Mechanismen von Verhalten und Erleben aufs engste gekoppelt. Der Geängstigte, Gejagte hilft sich, indem er ein Teil preisgibt, die Katastrophe damit gleichsam in die eigene Hand nimmt und limitiert, ja indem er selbst in aggressiver Weise tätig wird, als Schlächter »sein Opfer bringt« und so den Verfolgern zuvorkommt: Der Gejagte wird zum Jäger, Todesangst wird überwunden durch Tötungsmacht. De facto findet man, mit der Institution von Priestertum, statt des Rollentausches recht deutlich das Zusammenspiel der Rollen: Der Opferherr, vermögend und doch voll Zukunftsangst, stellt aus seinem Besitz zur Verfügung, was den Priestern, die Schlachten und Fleischverteilung übernehmen, direkt oder indirekt zur Nahrung dient. So ist es *eine* Situation, in der Verfolgungsangst und Jagd, Preisgabe und Zugriff sich treffen.

Religion hat mit Angst zu tun, auch wenn die seit der Antike[46] beliebte Herleitung der Religion aus der Angst sicher zu kurz greift. Zur Hominisierung gehörte evidentermaßen eine Vervielfältigung der Ängste, durch soziale Abhängigkeit und insbesondere durch das spezifisch menschliche Wissen um die Zukunft, das allein Planung möglich macht, aber auch die potentiellen Gefährdungen vervielfachend zum Bewußtsein bringt. So wurden symbolische Handlungen, Rituale zur Kontrolle und Ableitung der Gefahren entwickelt und verfestigt, die als Formen von Opfern in alten Religionen zentral sind. Von hier aus ist einsehbar, wieso Opferrituale qua Tötungsrituale »Heiliges Wirken« sind, sowohl wenn man von Residuen der Tötungshemmung, vom Schock des Blutvergießens und der Gewinnung der Fleischmahlzeit ausgeht als auch wenn man Todesangst und den Schock des Überlebens im Untergang des anderen ins Auge faßt. Um Opferriten konkret und im Detail zu verstehen, muß man freilich auch die jeweilige gesellschaftliche Wirklichkeit sehen, das Ineinanderwirken von Individuen und Gruppen mit ihren Interessen und intelligenten Machinationen, von Alt und Jung, Männern und Frauen, Herrschenden und Beherrschten, Spezialisten und Laien, um zu sehen, wie da Zwang zur Konformität, Erziehung, prägender Terror, aber auch Erlebnis von Erfolg und Beglückung sich verketten zu Formen kultureller Tradition, die erstaunlich stabil sein können. Es sind Traditionen höchsten Alters, von einer Generation der anderen aufgeprägt, die in den religiösen Ritualen zum Ausdruck kommen. Dies erklärt denn auch, daß Gesellschaft und Psyche, kulturelle Form und Erlebnisbereitschaft, so wohl aufeinander abgestimmt erscheinen, daß Religion Freude bereitet, daß von »religiösen Bedürfnissen« die Rede ist. Allerdings hat die menschliche Tradition nie die genetisch fixierte Stabilität eines Ameisenstaates erreicht; Regression ist ebenso möglich wie progressive Veränderung; auch vieltausendjähriges Kulturgut kann fast schlagartig ausgelöscht werden; wir brauchen uns nur umzusehen.

Doch sei dem Altertumswissenschaftler verstattet, statt aktueller Analyse lieber noch zwei Beispiele aus dem Bereich, für den er fachlich zuständig ist, anzuführen, um zu zeigen, wie die menschheitsgeschichtliche Perspektive, die entworfen wurde, auch einzelne philologisch faßbare Zeugnisse zu erhellen imstande ist. Zunächst zu den Mithras-Mysterien, die im Bereich der römischen Legionen vom 2. bis zum 4. Jh. n. Chr. populär waren. Im Zentrum, in der Apsis der unterirdischen Kulträume steht das Bild des Stieropfers: Mithras, mit wehendem rotem Mantel, hat den zusammenbrechenden Stier an den Nüstern gepackt und stößt ihm das Schwert in die Seite; der Schwanz des Stieres verwandelt sich dabei in eine Getreideähre. Darauf bezieht sich offenbar die rätselhaft andeutende Inschrift aus dem Mithräum von Santa Prisca in Rom: »Und du hast uns gerettet... durch das vergossene Blut«, *et nos servasti... sanguine fuso* – in der Mitte fehlt ein Wort, das unleserlich ist[47]. Die Tat des Gottes Mithras besteht im Jagen, Einfangen, Schlachten des Stiers, gefolgt vom Mahl zusammen mit dem Sonnengott am Tisch, der mit der Stierhaut gedeckt ist. Realiter fanden in den Mithräen Fleischmahlzeiten statt. Wieso liegt darin »unsere Rettung«? »Rettung« für den Menschen der Vorzeit war der Übergang zur Jagd in einer sich ändernden Umwelt; »Rettung« war die Entdeckung des Getreides für das sich mehrende Menschengeschlecht; »Rettung« ganz konkret im Leben erwartet der Soldat von seinem Gott; »Rettung« auch über dieses Leben hinaus wird

wohl dem Eingeweihten versprochen. Für alle Stufen der
»Rettung«, *salvatio,* gibt es eine Grundfigur, das »Blutvergießen« von seiten des göttlichen Jägers.

Das andere Beispiel, gleichfalls aus dem Bereich der
Spätantike: Bei der Weihe für die Große Göttermutter, dem
taurobolium, [48] kauert der Einzuweihende in einer balkenbe-
deckten Grube; darüber wird ein Stier geschlachtet, so daß
an die 50 Liter heißes Blut sich über ihn ergießen. Dies
garantiert »Rettung« zumindest für die nächsten 20 Jahre.
Durch das Opfer, den intensiven, prima vista widerlichen
Kontakt mit Blut und Tod festigt sich eine neue Existenz.
Ich habe zufällig vor kurzer Zeit mir erzählen lassen, wie ein
Jäger im weißen Südafrika, wohl in Burentradition, mit dem
Blut des ersten von ihm erlegten Wildes über und über
eingeschmiert wird, und wie bei der Wildschweinjagd in der
Toskana der Jäger, der einen Eber schießt, ganz entspre-
chend blutüberströmt im Triumph nach Hause geleitet wird.
Das antike *taurobolium* der Göttermutter stellt sich explizit
in Jägertradition: schon das Wort heißt, genau genommen,
Stierjagd, und man tötet den Stier mit einem Jagdspeer.
»Rettung« also, neue Existenz durch Blutvergießen auch
hier, das Ersatzopfer und jägerische Tat zugleich ist. Die
rituelle Stierjagd in Verbindung mit der Großen Göttin läßt
sich zurückverfolgen bis zu den schon erwähnten Darstel-
lungen der Steinzeitstadt Çatal Hüyük in Anatolien; [49] dort
fand sich auch eine Statuette der Göttin, die zwischen zwei
Leoparden thront, entsprechend der klassischen Ikonogra-
phie der Kybele mit ihren zwei Löwen. In den Heiligtümern
von Çatal Hüyük sieht man die gebärende Göttin über den
dorthin verbrachten Hörnern der gejagten Wildstiere und
den Gebeinen der dort beigesetzten Toten: Restitution und
Kontinuität des Lebens in einer Symbolik, die aus der rituell

verfestigten Praxis der Jäger stammt und in Ausläufern bis in die Gegenwart reicht.

Eine direkte Anwendung aus alledem auf die Gegenwart läßt sich nicht ziehen. Es hat nicht viel Sinn, in romantischer Rückschau den fortschreitenden Zerfall von altgeprägten Formen zu beklagen. Denkwürdig freilich erscheint in dem Jagd-Opfer-Komplex ein Sinn für Gleichgewicht und Reziprozität: ein Beutemachen, das nicht zur Ausbeutung der Natur wird, weil man im Triumph das Bedenkliche ahnt, Autorität, die eben im Verteilen sich bewährt. Man könnte wohl ein potentiell gefährliches Minus im optimistisch verflachten modernen Bewußtsein diagnostizieren, indem das Ernste und Erschreckende, Tötung und Tod, verdrängt wird, statt in kathartischem Durchgang heilige Ordnung zu begründen. Solch eine Formulierung freilich klingt erschreckend reaktionär, und noch erschreckender sind atavistische Versuche, etwas dergleichen restituieren zu wollen. Eher ist hinzuweisen auf die von so langer Tradition geprägte, bedenkliche Bereitschaft, in Situationen der Angst den anderen zu »opfern« oder aber Solidarität in der Aggression zu suchen. Unsere Aufgabe in der technisch erstarrenden Welt ist offenbar, entgegen menschheitsgeschichtlichen Traditionen neue Formen des Ernsten und Wesentlichen zu finden. Wenn wir freilich meinen, im humanen Fortschritt uns über die blutigen Riten der Vergangenheit leichthin erheben zu können, mag ein letztes Beispiel warnen. Ein amerikanischer Ethnologe berichtet von einem Kopfjäger-Stamm auf den Philippinen, den im 2. Weltkrieg auch die japanische Eroberung erreichte [50]: Sie, die kopfjagenden »Wilden«, seien entsetzt gewesen über die organisierte Kriegführung; daß ein Offizier durch seinen Befehl die eigenen Soldaten gegen Gewehr- oder Kanonenfeuer treiben kann, daß man einem solchen Befehl gehorchen, daß man einen solchen Befehl erteilen kann, daß man in dieser Weise den Freund opfert, dies ist für Kopfjäger unfaßlich. Die Fähigkeit zur Organisation von Befehl und Ausführung, der programmierte Mensch unter Ausschaltung eigener Lust und Laune, dies ist eine spezifisch menschliche, höchst ambivalente Errungenschaft der Hochkultur. Doch dies ist eine andere Geschichte.

Anmerkungen

Die Form des Vortrags, gehalten am 21. November 1983 vor der Carl Friedrich von Siemens Stiftung in München, ist beibehalten; die Anmerkungen beschränken sich auf notwendige Nachweise. Verf. hat Materialien und Interpretationen ausführlicher vorgelegt in: Homo Necans. Interpretationen altgriechischer Opferriten und Mythen, Berlin 1972, engl. Übers. Homo Necans. The Anthropology of Ancient Greek Sacrificial Ritual and Myth, Berkeley, Los Angeles 1983 (dies im folgenden HN), vgl. auch Structure and History in Greek Mythology and Ritual, Berkeley, Los Angeles 1979 (im folgenden S & H).

Seite 16

1 Johannesevangelium 1, 29; 36; Paulus 1. Kor. 5, 7; Hebräerbrief 9–10.

Seite 17

2 *Chr. Wolf,* Kassandra, Darmstadt 1983. – Aischylos, Ag. 1297; HN 3 f.

Seite 18

3 Karthago: *L. E. Stager,* The Oriental Institute Annual Report, Chicago 1978/9, 56–59; Motye-Mozia: *A. Ciasca,* Sul »tofet« di Mozia, Sicilia Archaeologica 14 (1971) 11–16.

Seite 18

4 *R. Girard,* La violence et le sacré, Paris 1972, engl. Übers. Violence and the Sacred, Baltimore 1977. – Des choses cachées depuis la fondation du monde, Paris 1978. – Le bouc émissaire, Paris 1982.

Seite 20

5 *J. Bernays,* Grundzüge der verlorenen Abhandlung des Aristoteles über die Wirkung der Tragödie, Breslau 1857, Nachdr. hg. u. eingel. v. K. Gründer, Hildesheim 1970.

Seite 20

6 Genesis 4; Girard (1972) 17.

43

Seite 21

7 *N. Strosetzki,* Kain und Romulus als Stadtgründer, Forschungen und Fortschritte 29 (1955) 184–188.

Seite 22

8 Leviticus 17, 3f.

Seite 22

9 Hesiod, Theogonie 535–557.

Seite 22

10 *K. Meuli,* Griechische Opferbräuche, in: Phyllobolia. Festschrift P. Von der Mühll, Basel 1946, 185–288 = *K. Meuli,* Gesammelte Schriften, Basel 1975, II 907–1021.

Seite 23

11 *L. Schmidt,* Pelops und die Haselhexe, Laos 1 (1951) 67–78; Der Herr der Tiere in einigen Sagenlandschaften Europas und Eurasiens, Anthropos 47 (1952) 509–38, beides abgedruckt in *L. Schmidt,* Die Volkserzählung, Berlin 1963, 113–155.

Seite 23

12 *I. Paulson,* Schutzgeister des Wildes (der Jagdtiere und Fische) in Nordeurasien, Uppsala 1961; *O. Zerries,* Wild- und Buschgeister in Südamerika, Wiesbaden 1954; *E. Hofstetter,* Der Herr der Tiere im alten Indien, Wiesbaden 1980.

Seite 23

13 *Meuli* (vgl. Anm. 10) Ges. Schr. II 941, 990f.; *K. Latte,* Römische Religionsgeschichte, München 1960, 389.

Seite 23

14 *G. Seiterle,* Artemis – Die Große Göttin von Ephesos, Antike Welt 10,3 (1979) 3–16. Vgl. auch S & H 202f.

Seite 24

15 *Meuli* Ges. Schr. II 950–964.

Seite 24

16 *Meuli* Ges. Schr. 1004–1006; HN 135–143.

Seite 25

17 *R. Ardrey,* The Hunting Hypothesis, London 1976; *D. Morris,* The Naked Ape, New York 1967, dt. Übers. Der nackte Affe, München, Zürich 1968. Vgl. auch *S. L. Washburn, C. S. Lancaster,* The Evolution of Hunting, in *R. B. Lee, I. DeVore,* Man the Hunter, Chicago 1968, 293–303.

Seite 26

18 *Wu Rukang, Lin Shenglong,* Der Pekingmensch, Spektrum der Wissenschaft 1983, 8, 102–111.

Seite 26

19 *H. Watenabe,* Hunting as an Occupation of Males, in Lee-DeVore (vgl. Anm. 17) 74–77.

Seite 26

20 Vgl. *G. Ll. Isaac,* Food Sharing and Human Evolution, Journal of Anthropological Research 34 (1978) 311–325 und in *Y. Z. Young* (ed.), The Emergence of Man, London 1981, 177–181; *G. J. Baudy,* Hierarchie oder: Die Verteilung des Fleisches, in *B. Gladigow, H. G. Kippenberg* (ed.), Neue Ansätze in der Religionswissenschaft, München 1983, 131–174.

Seite 26

21 *M. Mauss,* Essai sur le don, Année Sociologique II 1, 1923/4, wieder abgedruckt in *M. Mauss,* Sociologie et anthropologie, Paris 1950, 1966³, 143–279.

Seite 26

22 Vgl. Hom. Hermeshymnus 128f.; Baudy (vgl. Anm. 20) 162–167.

Seite 27

23 Neuere Materialien und Diskussionen in Young (vgl. Anm. 20).

Seite 27

24 Durchschnittlich 35%, Lee in Lee-DeVore (vgl. Anm. 17) 30–48.

Seite 28

25 *G. Teleki,* The Predatory Behavior of Wild Chimpanzees, Levisburg 1973 und in *R. S. O. Harding, G. Teleki* (ed.), Omnivorous Primates, Gathering and Hunting in Human Evolution, New York 1981, 303–343; *P. J. Wilson,* The Promising Primate, Man N. S. 10 (1975) 5–20.

Seite 28

26 HN 22–29, S & H 35–39, nach *K. Lorenz,* Das sogenannte Böse, Wien 1963 (1970[25]) Kap. 5; vgl. *R. A. Rappaport,* Ritual, Sanctity, and Cybernetics, American Anthropologist 73 (1971) 59–76; *E. G. d'Aquili, Ch. D. Laughlin, J. McManus,* The Spectrum of Ritual, A Biogenetic Structural Analysis, New York 1979; Widerspruch z. B. von *E. O. Wilson,* Sociobiology, The New Synthesis, Cambridge, Mass. 1975, 560 f.

Seite 30

27 *Meuli* Ges. Schr. II 964–966 – kritisch *F. E. Koby,* L'Anthropologie 55 (1951) 304–308, *H. G. Bandi* in: Helvetia antiqua, Festschr. E. Vogt, Zürich 1966, 1–8; vgl. *J. Maringer,* Die Opfer des paläolithischen Menschen, Anthropica, Gedenkschrift P. W. Schmidt, Wien 1968, 240–271; *M. Eliade,* Histoire des croyances et des idées religieuses I, Paris 1976, 23–27, 393 f.; *A. Leroi-Gourhan,* Les religions de la préhistoire: Paléolithique, Paris 1971[2], 30–36.

Seite 30

28 *Ph. Liebermann,* On the Evolution of Human Language, Proceedings of the 7th International Congress of Phonetic Sciences, Leiden 1972, 258–272; Annals of the New York Academy of Sciences 280: Origins and Evolution of Language and Speech (darin Lieberman pp. 660–672); *G. S. Kruntz,* Sapienization and Speech, Current Anthropology 21 (1980) 772–792 (mit Diskussion).

Seite 30

29 *J. Mellaart,* Çatal Hüyük, Stadt aus der Steinzeit, Bergisch Gladbach 1967.

Seite 31

30 HN 16.

Seite 31

31 *J. M. Kitagawa*, Ainu Bear Festival (Iyomante), History of Religions 1 (1961) 95–151.

Seite 31

32 *A. E. Jensen*, Über das Töten als kulturgeschichtliche Erscheinung, Paideuma 4 (1950) 23–38 ~ Mythos und Kult bei Naturvölkern, Wiesbaden 1951, 197–229.

Seite 32

33 Z.B. *M. F. Ashley Montagu* (ed.), Man and Aggression, New York 1968, 1973[2] ~ Mensch und Aggression, Basel 1974; *A. Plack*, Die Gesellschaft und das Böse, München 1967, 1969[4]; ders. (hg.), Der Mythos vom Aggressionstrieb, München 1973; *J. Rattner*, Aggression und menschliche Natur, Freiburg 1970.

Seite 32

34 Afrika: *H. Baumann*, Nyama, die Rachemacht, Paideuma 4 (1950) 191–230; Amazonas-Gebiet: *D. Reichel-Dolmatoff*, Desana, Le symbolisme unversel des Indiens Tukano de Vaupés, Paris 1973.

Seite 32

35 *C. Turnbull*, The Mountain People, New York 1972.

Seite 33

36 *R. Otto*, Das Heilige, München 1917; danach *G. Mensching*, Wesen und Ursprung der Religion: Die große nichtchristlichen Religionen, Stuttgart 1954, 11–22.

Seite 33

37 *Lorenz* (vgl. Anm. 26) 259–261.

Seite 34

38 S & H 71.

Seite 35

39 *W. D. O'Flaherty*, Hindu Myths, Harmondsworth 1975, 32f. (Śatapatha Brāhmaṇa).

Seite 35

40 *Bernardino de Sahagun,* Historia general de las cosas de Nueva España VII 2 (ed. C. M. de Burtamane, Mexiko 1829, II 245–250).

Seite 35

41 *E. Ebeling,* Tod und Leben nach den Vorstellungen der Babylonier, Berlin 1931, Nr. 15/16; *G. Furlani,* Riti Babilonesi e Assiri, Udine 1940, 285–305: Miti babilonesi e assiri di sostituzione.

Seite 35

42 *M. Leglay,* Saturne Africain, Paris 1966.

Seite 36

43 Dazu Verf. in: Le sacrifice dans l'antiquité, Entretiens sur l'antiquité classique 27, Genf 1981, 116–124.

Seite 36

44 *A. Vorbichler,* Das Opfer auf den uns heute noch erreichbaren ältesten Stufen der Menschheitsgeschichte, Wien 1956, 38–40, 83–86, 97.

Seite 37

45 Paus. 8, 34, 2. Vgl. *E. M. Loeb,* The Blood Sacrifice Complex, Memoirs of the Anthropological Association 30, 1923.

Seite 38

46 Stat. Theb. 3, 661, vgl. Kritias, Fragmente der Vorsokratiker 88 B 25, 29, Demokrit ib. 68 A 75; Lucrez 5, 1204–1240.

Seite 39

47 *M. J. Vermaseren, C. C. van Essen,* The excavations in the Mithraeum of the Church of Santa Prisca in Rome, Leiden 1965, 217–20; zur Lesung und Interpretation vgl. *U. Bianchi* (ed.), Mysteria Mithrae, Leiden 1979, 103 ff., 883 ff.

Seite 40

48 Haupttext Prudentius, Peristephanon 10, 1006–1050; *R. Duthoy,* The Taurobolium, Leiden 1969.

Seite 40

49 Vgl. Anm. 29.

Seite 41

50 Mündliche Mitteilung von *Renato Rosaldo*, vgl. sein Buch:
    Ilongot Headhunting, 1883–1974, Stanford 1980.

BIO-BIBLIOGRAPHIE
DES VERFASSERS

WALTER BURKERT, geboren am 2. Februar 1931 in Neuendettelsau (Kreis Ansbach), studierte Klassische Philologie, Geschichte und Philosophie 1950–1954 an der Universität Erlangen bei CARL KOCH, OTTO SEEL, ALFRED HEUBECK, RUDOLF ZOCHER, HELMUT BERVE, KARL HAUCK, und an der Universität München bei FRIEDRICH KLINGNER, RUDOLF PFEIFFER, FRANZ SCHNABEL, PHILIPP LERSCH. Er promovierte 1955 in Erlangen mit der von OTTO SEEL angeregten Arbeit ›Zum altgriechischen Mitleidsbegriff‹. Als Assistent an der Universität Erlangen konzentrierte er seine Studien auf frühe griechische Philosophie und Wissenschaft, was zu der Habilitationsarbeit ›Weisheit und Wissenschaft‹ (1961, als Buch 1962) führte. Zugleich ergab sich anregende Zusammenarbeit mit REINHOLD MERKELBACH; durch ihn nahm das schon durch CARL KOCH angeregte religionsgeschichtliche Interesse eine neue Richtung aufs Ritual, ergab sich auch eine Verbindung mit KARL MEULI (Basel). So folgten, besonders in der freieren Stellung als Universitätsdozent seit 1962, intensivere Studien zu Mythos und Ritual, die schließlich, unter Aufnahme von Anregungen der Verhaltensforschung, in ›Homo Necans‹ (1972) einmündeten. Dazwischen lagen ein Jahr als Junior Fellow am Center for Hellenic Studies in Washington D. C. 1965/6, eine Professur an der Technischen Universität Berlin 1966–1969, auch ein Semester als Gastprofessor an der Harvard University im Frühjahr 1968, und schließlich die Berufung als Professor der Klassischen Philologie an die Universität Zürich 1969. Seither gilt eine Reihe von Arbeiten den Beziehungen der griechischen Kultur zum Vorgriechischen und Orientalischen; daneben stand die Ausarbeitung einer allgemeinen Darstellung der ›Griechischen Religion der archaischen und klassischen Epoche‹ (1977). Im Zusammenhang mit den ›Sather Lectures‹ an der University of California in Berkeley (1977) ergab sich Beschäftigung mit allgemeineren Problemen der Erzählforschung und Mythologie. Eine speziellere Studie über griechische Mysterien wurde 1982 als ›Jackson Lectures‹ an der Harvard University vorgetragen. Als umgreifende Fragestellung bleibt die nach Formung und Formkraft kultureller, insbesondere religiöser Tradition in menschheitsgeschichtlicher Perspektive. Burkert ist korrespondierendes Mitglied mehrerer Akademien, darunter neuerdings auch der Bayerischen Akademie der Wissenschaften in München.

Bücher

Zum altgriechischen Mitleidsbegriff. Diss. Erlangen 1955. 165 S.

Weisheit und Wissenschaft. Studien zu Pythagoras, Philolaos und Platon.
　　Nürnberg: Carl 1962. XVI, 496 S. Engl.: Lore und Science in Ancient
　　Pythagoreanism. Transl. by Edwin L. Minar. Cambridge, Mass.:
　　Harvard U. P. 1972. 535 S.

Homo Necans. Interpretationen altgriechischer Opferriten und Mythen.
　　Berlin: De Gruyter 1972. XII, 356 S. It.: Homo Necans. Antropologia
　　del Sacrificio Cruento nella Grecia Antica. Trad. de Francesco
　　Bertolini. Torino: Boringhieri 1981. 304 S. Engl.: Homo Necans. The
　　Anthropology of Ancient Greek Sacrifical Ritual and Myth. Transl. by
　　Peter Bing. Berkeley, Los Angeles: University of California Press
　　1983. XXV, 334 S.

Griechische Religion der archaischen und klassischen Epoche. Stuttgart:
　　Kohlhammer 1977. 507 S. (Die Religionen der Menschheit 15). It.:
　　Storia delle Religioni 8: I Greci. Tomo I: Preistoria, Epoca Minoico-
　　Micenea, Secoli Bui (sino al sec. IX); Tomo II: Età Arcaica, Età
　　classica (sec. IX–IV). Trad. P. Pavanini; Pref. G. Sfameni Gasparro.
　　Milano: Jaca Book 1984. XXXIV, 175 S.: VIII, S. 177–499.

Structure and History in Greek Mythology and Ritual. Berkeley: University
　　of California Press 1979. XIX, 226 S. (Sather Classical Lectures 47)

Auswahl der wichtigeren Aufsätze

ΣΤΟΙΧΕΙΟΝ. Eine semasiologische Studie. Philologus 103, 1959,
　　167–197.

Hellenistische Pseudopythagorica. Philologus 105, 1961, 16–43; 226–246.

Iranisches bei Anaximandros. Rhein. Museum 106, 1963, 97–134.

Kekropidensage und Arrhephoria. Vom Initiationsritus zum Panathenäen-
　　fest. Hermes 94, 1966, 175–200. [Italienische Übersetzung in: M.
　　Detienne (ed.), Il mito, guida storica e critica, Bari 1975, 232–245].

Greek Tragedy and Sacrificial Ritual. Greek Roman and Byzantine Studies
　　7, 1966, 87–121.

Das Proömium des Parmenides und die Katabasis des Pythagoras. Phronesis
　　14, 1969, 1–30.

Orpheus und die Vorsokratiker. Bemerkungen zum Derveni-Papyrus und
　　zur pythagoreischen Zahlenlehre. Antike und Abendland 14, 1968,
　　93–114.

Von Amenophis II. zur Bogenprobe des Odysseus. Grazer Beiträge 1, 1973,
　　69–78.

Die Absurdität der Gewalt und das Ende der Tragödie: Euripides' Orestes. Antike und Abendland 20, 1974, 97–109.

Opfertypen und antike Gesellschaftsstruktur. In: Der Religionswandel unserer Zeit im Spiegel der Religionswissenschaft, Darmstadt 1976, 168–187.

Das hunderttorige Theben und die Datierung der Ilias. Wiener Studien 89, 1976, 1–21.

Kynaithos, Polycrates, and the Homeric Hymn to Apollo. In: Arktouros. Hellenic Studies presented to Bernhard M. W. Knox, Berlin, New York 1979, 53–62.

Griechische Mythologie und die Geistesgeschichte der Moderne. In: Les Etudes classiques aus XIXe et XXe siècles: Leur place dans l'histoire des idées, Entretiens sur l'antiquité classique XXVI, Vandeeuvres-Genève, 159–199.

Glaube und Verhalten: Zeichengehalt und Wirkungsmacht von Opfer-ritualen. In: Le sacrifice dans l'antiquité. Entretiens sur l'antiquité classique XXVII, Vandoeuvres-Genève 1981, 91–125.

Craft versus Sect: The Problem of Orphics and Pythagoreans. In: B. F. Meyer, E. P. Sanders (ed.), Jewish and Christian Self-Definition III: Self-Definition in the Graeco-Roman World, London 1982, 1–22, 183–9.

Götterspiel und Götterburleske in altorientalischen und griechischen Mythen. Eranos Jahrbuch 51, 1982, 335–367.

Oriental Myth and Literature in the Iliad. In: The Greek Renaissance of the Eight Century B. C. (Skrifter utgivna av Svenska Institutet i Athen 4° XXX), Stockholm 1983, 51–6.

Itinerant Diviners and Magicians. A Neglected Element in Cultural Contacts. ib. 115–9.

Apokalyptik im frühen Griechentum: Impulse und Transformationen. In: Apocalypticism in the Mediterranean World and the Near East, ed. D. Hellholm, Tübingen 1983, 235–254.

Vom Nachtigallenmythos zum ›Machandelboom‹. In: W. Siegmund (ed.), Antiker Mythos in unseren Märchen; Kassel 1984, 113–125, 196 f.

VERÖFFENTLICHUNGEN
DER STIFTUNG

Veröffentlichungen außerhalb des Buchhandels

Privatdruck-Reihe »Themen«

In der Reihe »Themen« wird eine kleine Auswahl der in der Stiftung gehaltenen Vorträge veröffentlicht. Bei den Heften 34 und 39 handelt es sich um zwei der bisher 22 »Werner Heisenberg Vorlesungen«, die die Bayerische Akademie der Wissenschaften mit der Carl Friedrich von Siemens Stiftung seit 1977 im Haus der Stiftung gemeinsam veranstaltet. Die Privatdrucke erscheinen in unterschiedlicher Auflage und sind im Buchhandel nicht erhältlich. Die angegebene Jahreszahl zeigt an, wann der betreffende Vortrag gehalten wurde. Vergriffene Hefte sind mit dem Vermerk »vgr« gekennzeichnet.

Bis Herbst 1987 sind folgende Hefte erschienen:

1 REINHARD RAFFALT: »Das Problem der Kontaktbildung in der zeitgenössischen Gesellschaft« (1960) *vgr*

2 KURD V. BÜLOW (DDR): »Über den Ort des Menschen in der Geschichte der Erde« (1961) *vgr*

3 ALBERT MAUCHER: »Über das Gespräch« (1961) *vgr*

4 FELIX MESSERSCHMID: »Das Problem der Planung im Bereich der Bildung« (1961) *vgr*

5 NATIONALRAT PETER DÜRRENMATT (Basel): »Das Verhältnis der Deutschen zur Wirklichkeit der Politik« (1963) *vgr*

6 FUMIO HASHIMOTO (Tokio): »Die Bedeutung des Buddhismus für den modernen Menschen« (1963) *vgr*

7 CLEMENS-AUGUST ANDREAE (Innsbruck): »Leben wir in einer Überflußgesellschaft?« (1964) *vgr*

8 ROLF R. BIGLER (Zürich): »Möglichkeiten und Grenzen der Psychologischen Rüstung« (1964) *vgr*

9 ROBERT SAUER: »Leistungsfähigkeit von Automaten und Grenzen ihrer Leistungsfähigkeit« (1965) *vgr*

10 HUBERT SCHRADE: »Die Wirklichkeit des Bildes – Was ist, will und vermag ein Bild?« (1965) *vgr*

11 WILHELM LEHMANN: »Das Drinnen im Draußen oder Verteidigung der Poesie« (1967) *vgr*

34 THOMAS S. KUHN (M.I.T., Mass.): »Was sind wissenschaftliche Revolutionen?« (1981)
35 PETER C. HARTMANN: »Karl VII. – Der zweite Wittelsbacher auf dem Kaiserthron« (1982)
36 FRÉDÉRIC DURAND (Caen): »Nordistik – Einführung in die skandinavischen Studien« (1978, gedruckt 1983)
37 HANS-MARTIN GAUGER: »Der vollkommene Roman: ›Madame Bovary‹« (1982) vgr
38 WERNER SCHMALENBACH: »Das Museum zwischen Stillstand und Fortschritt« (1983)
39 WOLFRAM EBERHARD (Berkeley): »Über das Denken und Fühlen der Chinesen« (1982)
40 WALTER BURKERT (Zürich): »Anthropologie des religiösen Opfers« (1982)
41 CHRISTOPHER FREEMAN (University of Sussex): »Die Computerrevolution in den langen Zyklen der ökonomischen Entwicklung« (1984)
42 BENNO HESS/PETER GLOTZ: »Mensch und Tier – Grundfragen biologisch-medizinischer Forschung« (1985)
43 HANS ELSÄSSER: »Die neue Astronomie« (1986)

Veröffentlichungen im Buchhandel

Die ersten vier Sondervortragsreihen der Carl Friedrich von Siemens Stiftung wurden vom Deutschen Taschenbuch Verlag veröffentlicht. Diese Bände, die mehrere Auflagen erlebten, sind inzwischen vergriffen. Beginnend mit der Reihe »Der Mensch und seine Sprache« werden sie im Rahmen der »Schriften der Carl Friedrich von Siemens Stiftung« vorgelegt, die zunächst im Ullstein/Propyläen-Verlag, Berlin, erschienen und seit dem Band »Die Zeit« vom Verlag R. Oldenbourg, München, fortgeführt werden. Sämtliche Bände dieser Buchreihe sind im Buchhandel lieferbar.

Vier Einzelveröffentlichungen im Rahmen der DTV-Taschenbücher

»Sinn und Unsinn des Leistungsprinzips«, DTV Nr. 990, 1974, 236 S. (Mit Beiträgen von Arnold Gehlen, Heinz Heckhausen, Ommo Grupe, Günter Schmölders, Hans Peter Dreitzel, Franz Vonessen, Wolfgang Klafki, Christoph Theodor Wagner, Wolfgang Förster und einem Nachwort von Max Müller.)
»Jugend in der Gesellschaft«, DTV Nr. 1063, 1975, 222 S. (Mit Beiträgen von Wilhelm E. Mühlmann, Hartmut von Hentig, Hermann Lübbe, Erwin

K. Scheuch, Peter R. Hofstätter, Mohammed Rassem, Walter Scherf, Sergius Golowin und einem Nachwort von Hermann Krings.)
»Was ist Glück?«, DTV Nr. 1134, 1976, 248 S. (Mit Beiträgen von Friedrich Georg Jünger, Arnold Gehlen, Josef Pieper, Viktor E. Frankl, Wilhelm E. Mühlmann, Alfred Schmidt, Richard Huber, Julius Posener, Wolfgang Bauer und einem Nachwort von Ulrich Hommes.)
»Schicksal? Grenzen der Machbarkeit«, DTV Nr. 1236, 1977, 213 S. (Mit Beiträgen von Friedrich August von Hayek, Richard Lange, Odo Marquard, Wolfgang Brezinka, Josef van Ess, Reinhart Koselleck, Hans-Jürgen Eysenck, Heinrich Herzog, Manfred Eigen und einem Nachwort von Mohammed Rassem.)

Schriften der Carl Friedrich von Siemens Stiftung

1 »Der Mensch und seine Sprache«, 1979, 377 Seiten. (Mit Beiträgen von Konrad Lorenz, Manfred Eigen, Ivan Illich, Paul Watzlawick, Leszek Kolakowski, Bernhard Hassenstein, Mario Wandruszka, Hans-Martin Gauger, Paul Imbs, Otto Ladstätter, Elmar Tophoven, Els Oksaar, Karl-Dietrich Bracher, Hans Rössner.)

2 »Der Ernstfall«, 1979, 236 Seiten. (Mit Beiträgen von Rüdiger Altmann, Hellmut Diwald, Christian Meier, Paul Carell, Josef Isensee, Horst Albach, Robert Hepp, Heinz-Dietrich Ortlieb, Wilhelm E. Mühlmann, Knut Borchardt.)

3 »Die Deutsche Neurose«, 1980, 260 Seiten. (Mit Beiträgen von Johannes Gross, Peter R. Hofstätter, Hellmut Diwald, Hans-Joachim Arndt, Dieter Blumenwitz, Robert Hepp, Wilfried Schlau, Helmut Thielicke, Peter Lerche.)

4 »Kursbuch der Weltanschauungen«, 1981, 448 Seiten. (Mit Beiträgen von Horst Bürkle, Werner Betz, Manuel Sarkisyanz, Andreas von Weiss, Heinz Gollwitzer, Prälat Helmut Aichelin, Pastor Ekkehard Hieronimus, Karl R. H. Frick, Armin Mohler.)

5 »Reproduktion des Menschen. Beiträge zu einer interdisziplinären Anthropologie«, 1981, 330 Seiten. (Mit Beiträgen von Leszek Kolakowski, Paul Watzlawick, Ralf Dahrendorf, Rupert Riedl, Otto Creutzfeldt, Alexander Borbély, Friedrich Vogel, Bernhard Hassenstein, Heinrich Schipperges, Helm Stierlin, Margarete Mitscherlich-Nielsen, Hans Rössner.)

6 »**Die Zeit**«, 1983, 411 Seiten. (Mit Beiträgen von Manfred Eigen, John A. Wheeler, Jürgen Aschoff, Hans Heimann, Otto-Joachim Grüsser, Jean-Pierre Blaser, Ferdinand Seibt, Jan Assmann, Carsten Colpe, Hubert Cancik, Peter Häberle, David Epstein, Edgar Lüscher, Ernst Pöppel.)

7 »**Natur und Geschichte**«, Hrsg. Hubert Markl, 1983, 412 Seiten. (Mit Beiträgen von Herbert Franke, Wolf Lepenies, Hubert Markl, Christian Vogel, Jens Lüning, Horst G. Mensching, Joachim Hans Weniger, Eduard Seidler, Arthur E. Imhof, Rolf Sprandel, Holger Bonus, Günther Patzig, Albin Eser.)

8 **Peter R. Hofstätter: »Psychologie zwischen Kenntnis und Kult«**, 1984, 212 Seiten.

9 »**Psychologie – Psychologisierung – Psychologismus**«, 1985, 160 Seiten. (Mit Beiträgen von Odo Marquard, Werner S. Nicklis, Niels Birbaumer, Theo Herrmann, Walter Bräutigam, Hans J. Eysenck, Carl Friedrich Graumann.)

10 »**Einführung in den Konstruktivismus**«, 1985, 160 Seiten. (Mit Beiträgen von Heinz v. Foerster, Ernst v. Glasersfeld, Paul Watzlawick, Siegfried Schmidt, Peter M. Hejl.)

11 **Armin Mohler (Hrsg.): »Wirklichkeit als Tabu«**, 1986, 284 Seiten. (Mit Beiträgen von Josef Isensee, Helmut Quaritsch, Horst Ehmann, Dieter Blumenwitz, Reinhart Maurer, Martin Gosebruch, Gerhard Adler, Robert Hepp, Hans-Joachim Arndt.)

Carl Friedrich von Siemens Stiftung
8000 München 19 Nymphenburg
Südliches Schloßrondell 23

2. Auflage
Als Manuskript gedruckt im September 1987
Layout und Herstellung Udo Wiedemann
Druck Mayr Miesbach, Druckerei und Verlag GmbH